GW00859054

*Cyflwynir y llyfr hwn i Claudia a Kate*
*(ynghyd â phob mam arall sy'n dioddef) ~ LP*

Cyhoeddwyd gyntaf ym Mhrydain yn 2008
gan Little Tiger Press, rhan o Magi Publications,
1 The Coda Centre, 189 Munster Road, Llundain SW6 6AW
www.littletigerpress.com

Cyhoeddwyd gyntaf yng Nghymru yn 2008
gan Wasg Gomer, Llandysul, Ceredigion SA44 4JL
www.gomer.co.uk



ISBN 978 1 84323 897 3

Argraffwyd yn Singapore

# Y Tri Mochyn Bach Cas a'r Blaidd Mawr Caredig


Liz Pichon

Addasiad
Sioned Lleinau



Gomer

Un tro, roedd Misus Mochyn yn byw gyda'i thri mochyn bach cas mewn tŷ bach twt.

Roedd y tri mochyn bach yn ddrwg dros ben ac yn gyrru eu mam **o'i chof!**

'Rwy wedi cael llond bol,' meddai hi wrthyn nhw. 'Mae'n hen bryd i chi adael cartref a sefyll ar eich traed eich hunain!'

Felly, dyma hi'n pacio'u bagiau a'u gyrru allan i'r byd mawr.

Dyma'r
mochyn
bach cyntaf
yn dod
o hyd i
bentwr
mawr
o wellt.

'Mae'r
gwellt yma'n
BERFFAITH
ar gyfer adeiladu tŷ,'
meddyliodd.

Ond un diog oedd y mochyn bach. Ac roedd golwg simsan iawn ar ei dŷ o wellt.

Yn ffodus, roedd blaidd mawr caredig (a oedd yn digwydd bod yn adeiladwr) yn pasio heibio.

'Hawyr bach!' ochneidiodd y blaidd. 'Dyna annibendod. Gwell i mi gynnig help llaw.'

'Fochyn bach, fochyn bach, ga i ddod i mewn?' holodd y blaidd.
'CER O 'MA!'
gwaeddodd y mochyn bach.
'Does dim lle i'r un
BLAIDD dan yr
un to â mi!
Rho un bawen ar fy nghartref i

ac fe **chwytha i**

ac fe **chwytha i** di i

BEN DRAW'R BYD!'

'Dim ond cynnig helpu wnes i,' meddai'r blaidd yn drist cyn mynd ar ei daith.

Dyma'r ail fochyn bach
yn dod o hyd i
bentwr mawr
o frigau.
'Fe fydd y brigau
yma'n grêt ar gyfer
adeiladu tŷ,' meddyliodd.
Ond roedd y mochyn bach
hwn yn fwy diog
na'i frawd . . .

. . . ac roedd y tŷ mewn gwaeth cyflwr o lawer! Pan welodd y blaidd caredig y ddrysfa o frigau, cafodd fraw. ‘O diar!’ meddyliodd, ‘fydd y tŷ ’ma ddim ar ei draed yn hir! Gwell i mi gynnig help llaw.’

‘Fochyn bach, fochyn bach, ga i ddod
i mewn?’ holodd y blaidd.

‘BAGLA HI O ’MA!’

gwaeddodd y mochyn bach haerllug.
‘Does dim lle i’r un BLAIDD
dan yr un to â mi!
Rho un bawen ar fy nghartref i ac fe **chwytha i**

ac fe **chwytha i . . .**

ac fe

DAFLA

I DI

REIT

ALLAN!'

'Mae'n ddrwg 'da fi,' ochneidiodd y blaidd. 'Dim ond cynnig helpu wnes i.'

*Dyna haerllug!*

Roedd y trydydd mochyn bach cas MOR ddiog fel na lwyddodd i adeiladu tŷ o gwbl! Cafodd hyd i gwt ieir clyd a phenderfynodd y byddai'n well ganddo . . . symud i mewn i hwnnw!

Roedd y blaidd caredig
yn digwydd pasio heibio.
'Arswyd y byd!' meddyliodd.
'Yr ieir druain! Rhaid i mi gael
gair â'r mochyn yna!'

'Fochyn bach, fochyn bach, ga i ddod i mewn?'

'CER I GRAFU!' gwaeddodd y mochyn drwg.

'Does dim lle i'r un BLAIDD dan yr un to â mi!

Rho un bawen ar fy nghartref i ac fe **chwytha i ...**

ac fe

**chwytha i . . .'**

'Olreit! Olreit! Am funud!' meddai'r blaidd. 'Gwranda! Nid DY GARTRE DI yw hwn! Cartre'r ieir yw hwn!'

'Oes ots?' meddai'r mochyn bach. 'Nawr bant â chi, BOB UN!'

Dyna beth oedd mochyn bach cas.

Felly, dyma'r blaidd caredig yn gwahodd yr ieir i gyd 'nôl i'w DŶ EF. Roedd ganddo dŷ cryf iawn wedi ei adeiladu o frics.

Erbyn hynny, roedd tŷ'r mochyn bach cas cyntaf . . .

GWELLT Y
GWARTHEG

. . . yn cael ei fwyta gan
wartheg llwglyd.

Roedd tŷ'r ail fochyn
bach cas . . .

. . . yn cael ei dynnu'n ddarnau gan adar dig.

Ac roedd y trydydd mochyn bach cas . . .

. . . yn cael ei bigo
gan geiliog,
ac yn gwichian **Wî wî** wî wî wî wî wî wî wî wî wî wî wî wî wî wî wî wî wî wî wî wî wî wî wî wî wî wî wî wî wî wî wî yr ho*ll* ffordd nôl
at ei ddau frawd.
(Dyna'n *union* beth oedd
y ceiliog yn ei obeithio).

Felly, doedd gan YR UN mochyn bach gartref. Yn wahanol i'r blaidd. Ac am gartref clyd a chysurus.
'Byddai'r tŷ yma'n berffaith i ni!' meddai'r moch bach cas.

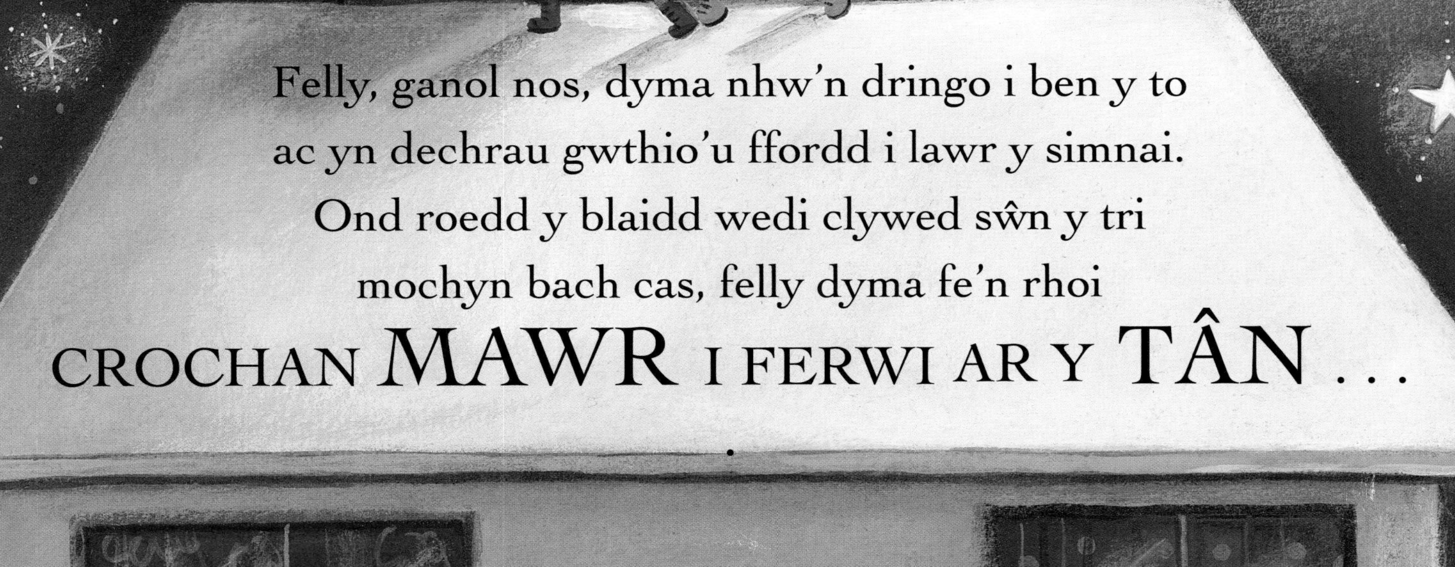

Felly, ganol nos, dyma nhw'n dringo i ben y to
ac yn dechrau gwthio'u ffordd i lawr y simnai.
Ond roedd y blaidd wedi clywed sŵn y tri
mochyn bach cas, felly dyma fe'n rhoi
CROCHAN MAWR I FERWI AR Y TÂN . . .

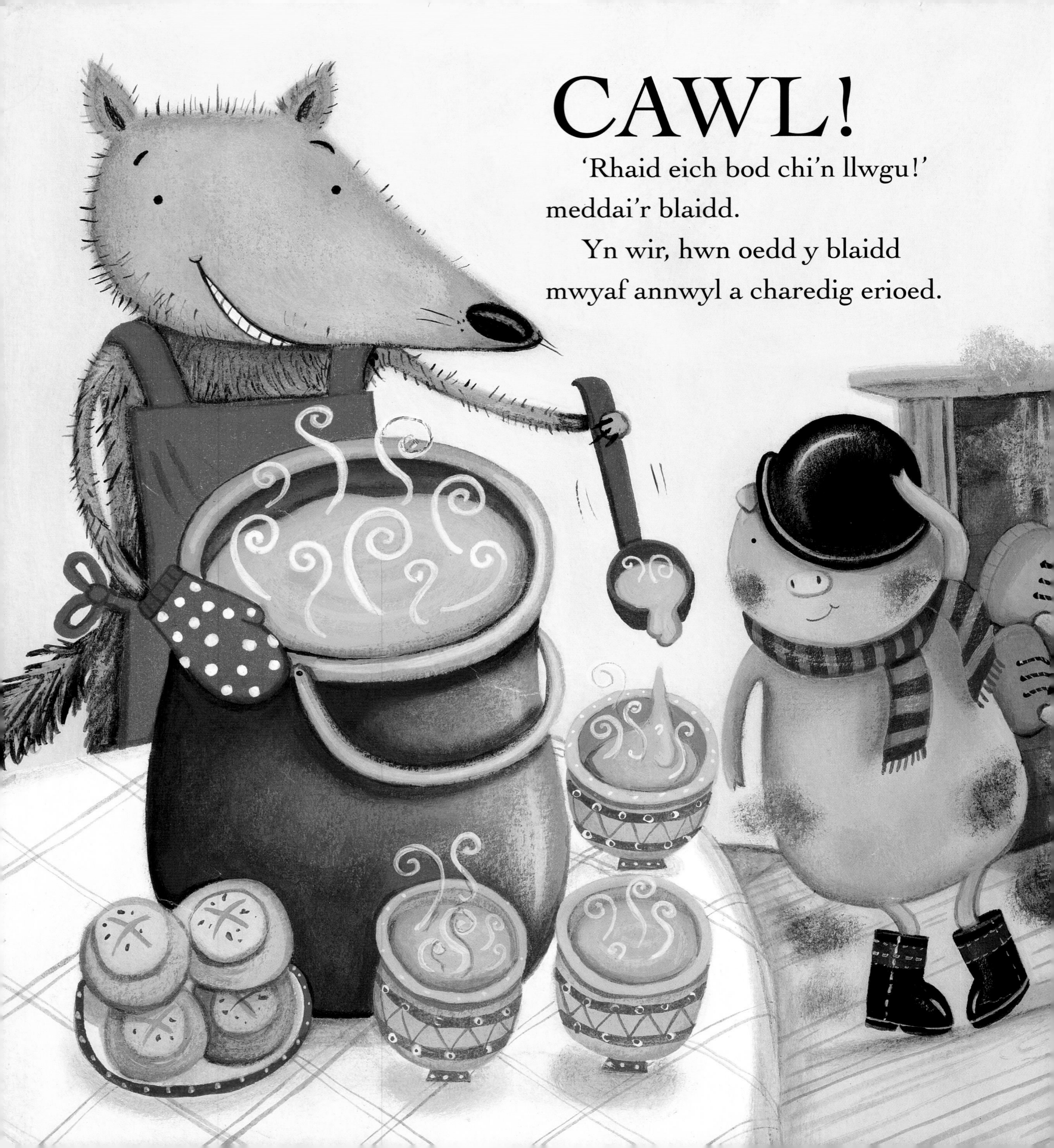

# CAWL!

'Rhaid eich bod chi'n llwgu!' meddai'r blaidd.

Yn wir, hwn oedd y blaidd mwyaf annwyl a charedig erioed.

Cafodd y moch groeso yng nghartre'r blaidd. Cyn hir, dyma nhw'n peidio â bod yn foch bach diog a chas a dyma nhw'n dysgu sut i adeiladu tŷ go iawn o frics . . .

. . . a oedd yn ddigon mawr
I BAWB!

A dyna lle bu pawb yn byw'n
hapus byth wedyn.